아가야,
우리 아홉 달
후에 만나

사랑하는 우리 아기를 위한 기도

아가야, 우리 아홉 달 후에 만나 기도문

2019년 3월 12일 교회 인가
2019년 5월 15일 초판 1쇄 펴냄

엮은이 · 가톨릭출판사 편집부
펴낸이 · 염수정
펴낸곳 · 가톨릭출판사
편집 겸 인쇄인 · 김대영
편집 · 강서윤, 정주화
디자인 · 강해인
기획 · 홍보 마케팅 · 임찬양, 장제민, 안효진

본사 · 서울특별시 중구 중림로 27
지사 · 경기도 고양시 일산동구 노첨길 65
등록 · 1958. 1. 16. 제2-314호
전자우편 · edit@catholicbook.kr
전화 · 1544-1886(대)/ (02)6365-1888(물류지원국)
지로번호 · 3000997

ISBN 978-89-321-1604-4 02230

비매품

가톨릭출판사 인터넷쇼핑몰 · http://www.catholicbook.kr
직영 매장 · 명동대성당 (02)776-3601, (070)8865-1886/ FAX (02)776-3602
　　　　　 가톨릭회관 (02)777-2521, (070)8810-1886/ FAX (02)6499-1906
　　　　　 서초동성당 (02)313-1886/ FAX (02)585-5883
　　　　　 서울성모병원 (02)534-1886/ FAX (02)392-9252
　　　　　 절두산순교성지 (02)3141-1886/ FAX (02)335-0213
　　　　　 부천성모병원 (032)343-1886
　　　　　 은평성모병원 (02)363-9119
　　　　　 미주지사 (323)734-3383/ FAX (323)734-3380

가톨릭의 모든 도서와 성물을 '가톨릭출판사 인터넷쇼핑몰'에서 만나 보실 수 있습니다.

전례문 ⓒ 한국천주교중앙협의회
태아를 위한 기도 ⓒ 서울대교구 청소년국 유아부

이 도서의 국립중앙도서관 출판예정도서목록(CIP)은 서지정보유통지원시스템 홈페이지(http://seoji.nl.go.kr)와 국가자료공동목록시스템(http://www.nl.go.kr/kolisnet)에서 이용하실 수 있습니다. (CIP제어번호: CIP2019012028)

이 책은 저작권법에 의해 보호를 받는 저작물이므로 무단 전재와 무단 복제를 금합니다.

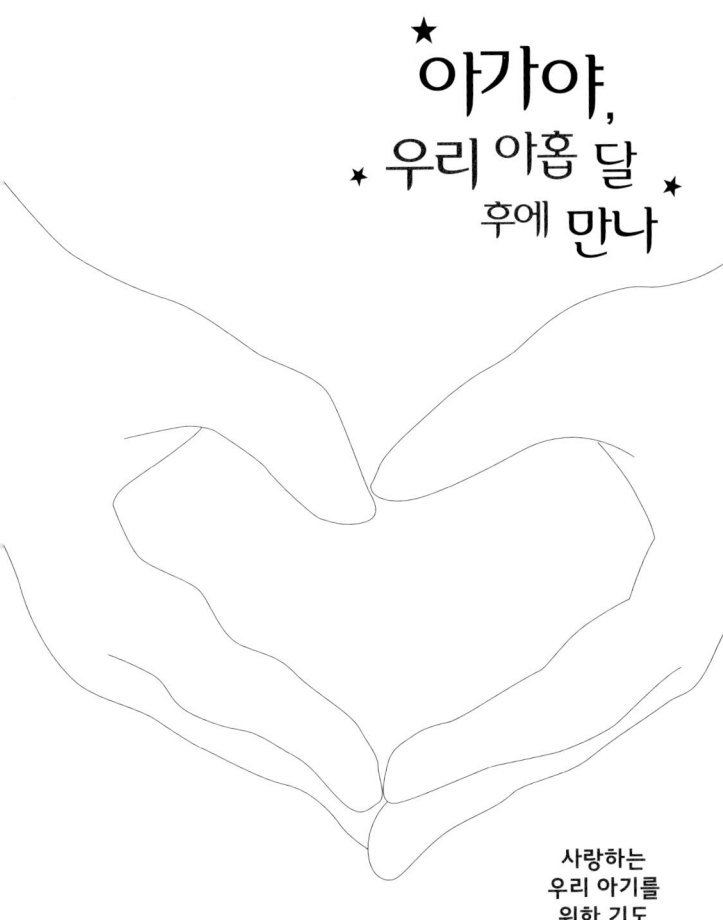

아가야, 우리 아홉 달 후에 만나

사랑하는 우리 아기를 위한 기도

가톨릭출판사

차례

가정을 위한 기도 1 ⊕ 7

가정을 위한 기도 2 ⊕ 8

가정 성화를 위한 기도 ⊕ 10

성가정에 드리는 기도 ⊕ 12

예수 성심께 바치는 봉헌 기도 ⊕ 14

아기를 위한 기도 ⊛ 16

태아를 위한 기도 ⊛ 17

자녀를 위한 기도 ⊛ 19

어머니의 기도 1 ⊛ 21

어머니의 기도 2 ⊛ 23

가정을 위한 기도 1

마리아와 요셉에게 순종하시며
가정생활을 거룩하게 하신 예수님,
저희 가정을 거룩하게 하시고
저희가 성가정을 본받아 주님의 뜻을 따라 살게 하소서.
가정생활의 자랑이며 모범이신
성모 마리아와 성 요셉,
저희 집안을 위하여 빌어 주시어
모든 가족이 건강하고 행복하게 하시며
언제나 주님을 섬기고 이웃을 사랑하며 살다가
주님의 은총으로 영원한 천상 가정에 들게 하소서.
아멘.

가정을 위한 기도 2

사랑이요 생명이신 하느님 아버지,
세상의 모든 가정은
삼위일체 하느님에게서 비롯되었나이다.
여인에게서 태어나신
성자 예수 그리스도를 통하여
거룩한 사랑의 샘이신 성령의 도움으로
모든 가정이
생명과 사랑의 보금자리가 되게 하소서.
부부들의 생각과 행위를
하느님의 은총으로 이끄시어
모든 가정의 선익에 이바지하게 하소서.

자녀들은 가정에서 자신들의 존엄성을 깨닫고
진리와 사랑으로 성숙하게 하소서.
저희 가정이 겪는 모든 어려움을
혼인성사의 은총으로 극복하게 하소서.
나자렛 성가정의 전구를 통하여 가정이 성화되고
가정을 통하여 세상이 성화되게 하소서.
길이요 진리요 생명이신
우리 주 그리스도를 통하여 비나이다.
아멘.

가정 성화를 위한 기도

주 하느님,
하늘과 땅 위 모든 가정은
당신에게서 생겨났습니다.
하느님 아버지, 당신은 사랑이시고 생명이십니다.
여인에게서 태어나신 성자,
예수 그리스도를 통하여
거룩한 사랑의 샘이신 성령을 통하여
지상의 모든 가정이 세세대대로
생명과 사랑의 참성소가 되게 하소서.
당신 은총으로써 부부의 생각과 행위를
자신과 온 세상 모든 가정의 선익에로

이끌어 주소서.
젊은이들이 가정 안에서 인간의 존엄성을 찾아
진리와 사랑 안에서 건실하게 자라나게 하소서.
사랑이 혼인성사의 은총으로 견고해져
우리 가정이 겪는 모든 어려움을
극복하게 해 주소서.
나사렛 성가정의 전구로써,
가정 안에서 가정을 통하여
세상에서 교회가 그 사명을 완수하게 하소서.
생명이시고 진리이시며 사랑이신 당신께
성자와 성령과 더불어 이 모든 것을 간구합니다.
아멘.

• 요한 바오로 2세 교황이 1980년 가정에 관한 주제로
 열린 세계주교대의원회의 전에 바치라고 권고한 기도

성가정에 드리는 기도

예수, 마리아, 요셉이시여
성가정 안에서 저희는
참사랑의 빛을 바라보며
믿음으로 성가정을 향합니다.

나자렛의 성가정이여,
저희 가정도
친교와 기도의 자리,
복음의 참된 학교,
작은 가정 교회가 되게 해 주소서.

나자렛의 성가정이여,
다시는 가정들이
폭력과 배척과 분열을 겪지 않게 해 주소서.
상처받거나 걸려 넘어진 모든 이가
어서 빨리 위안과 치유를 찾게 해 주소서.

나자렛의 성가정이여,
가정의 거룩함과 불가침성,
하느님의 계획 안에 있는 그 아름다움을
저희가 깨닫게 해 주소서.

예수, 마리아, 요셉이시여,
저희의 기도를 자비로이 들어주소서.
아멘.

• 프란치스코 교황의 교황 권고 〈사랑의 기쁨〉에 실린 기도

예수 성심께 바치는 봉헌 기도

지극히 어지신 구세주 예수님,
주님 앞에 꿇어
주님의 성심께 저희 가정을 봉헌하나이다.
주님께서는 언제나
저희 가정을 보살펴 주소서.
저희는 온전히 성심께 의지하고 바라오니
저희 생각과 말과 행위를
주님의 거룩하신 뜻대로 다스리소서.
예수님, 저희가 하는 일에 강복하시어
기쁠 때나 슬플 때 저희와 함께 계시는
주님의 사랑을 깊이 깨달아

언제나 주님을 사랑하며 섬기게 하소서.
온 세상 어디서나 모든 이가
입을 모아 예수 성심을 찬미하며
사랑과 영광을 드리게 하소서.
아멘.

아기를 위한 기도
― 풀턴 쉰 대주교

예수, 마리아, 요셉이시여,
나자렛의 성가정을 정말로 사랑하오니
우리 아기의 삶을 아껴 주시길 간청하나이다.
태어나지 않은 우리 아기가
잘못될 위험에서 벗어나도록 언제나 지켜 주소서.

태아를 위한 기도

자애로우신 아버지 하느님,
저희에게 소중한 생명을 주심에
감사드립니다.

성모님을 통해 태내 아기 예수님에게
하느님의 삶을 가르쳐 주셨듯이,
저희의 아기에게도
주님의 축복을 내려 주소서.

서로의 심장 박동을 들으며
사랑과 일치를 키워 간

성모님과 아기 예수님처럼,
저희와 아기도 마음 깊은 곳으로부터
서로를 품어 안으며 성장하게 하소서.

하느님의 한없는 모성 안에서
아기가 건강하게 자라 순산케 하시고,
어떠한 상황에서든
하느님의 시선으로 세상을 바라보며
일치와 평화를 나누는
거룩한 삶으로 이끌어 주소서.

우리 주 그리스도를 통하여 비나이다.
아멘.

자녀를 위한 기도

세상을 창조하신 하느님,
하느님께서는 저희에게 귀한 자녀를 주시어
창조를 이어 가게 하셨으니
주님의 사랑으로 자녀를 길러
주님의 영광을 드러내게 하소서.
주님, 사랑하는 저희 자녀를
은총으로 보호하시어
세상 부패에 물들지 않게 하시며
온갖 악의 유혹을 물리치고
예수님을 본받아
주님의 뜻을 이루는 일꾼이 되게 하소서.

우리 주 그리스도를 통하여 비나이다.
아멘.

어머니의 기도 1

― 캐리 마이어스

아이들을 이해하고
아이들의 말을 끝까지 들어 주고
묻는 말에 일일이 친절하게
대답할 수 있도록 도와주소서.
면박을 주는 일 없도록 도와주소서.
아이들이 우리에게 공손히
대해 주기를 바라듯
우리가 잘못했다고 느꼈을 때
아이들에게 용서를 빌 수 있는 용기를 주옵소서.
아이들의 잘못에
창피를 주거나 상처 주는 말을

하지 않게 도와주시고
아이들에게 잔소리를 하지 않게
하여 주옵소서.
아멘.

어머니의 기도 2

사랑하올 성모 어머니,
저희에게
아이의 작은 요구까지도 듣는 귀를 주시고,
온화하게 웃는 눈을 주시며,
성급하게 말하지 않는 입을 주소서.
그리고 저희가
아이와 함께하는 순간이 기쁨임을 아는 지혜와
지칠 때 웃을 수 있는 용기를
잃지 않도록 보살펴 주소서.

사랑하올 성모 어머니,

저희에게
아이의 사소한 질문 하나까지도 답할 수 있는
친절을 주시고,
어떤 상황에서도 아이를 따스하게 안아 줄 수 있는
넓은 마음을 주소서.
그리고 저희가
어찌할 바 모르고 혼란스러울 때면
저희의 중심인 당신의 아드님을 찾게 해 주시고,
너무도 답답하여 견디기 어렵다는 생각이 들 때면
저희의 위로자이신 성모 어머니를 찾게 해 주소서.

그리하여 저희 가정에
어떠한 고통스러운 기억도 남지 않도록
저희를 자비로이 보살펴 주소서.
아멘.